9 781939 099679

برگزیده ی شعرهای معاصر فارسی

Modern Persian Poetry

An Anthology of Easy-to-Read Poems
For Non-native Learners of the Persian Language

A Selection By: Nazanin Mirsadeghi

Bahar Books
www.baharbooks.com

Mirsadeghi, Nazanin
Modern Persian Poetry: An Anthology of Easy-to-Read Poems for Non-native Learners of the Persian Language (Persian/Farsi Edition)/Nazanin Mirsadeghi

برگزیده ی شعرهای معاصر فارسی

با انتخاب: نازنین میرصادقی

ISBN-10: 1-939099-67-6
ISBN-13: 978-1-939099-67-9

Preface

One of the main challenges that non-native learners of the Persian language face is finding suitable reading materials for different stages of their learning process. This book is an easy-to-read anthology of modern Persian poems. While this anthology by no means represents all modern Persian poets and their masterworks, the poems presented in this book have been carefully selected solely based on ease of language, for learning purposes. As a result, some modern Persian poets and their masterpieces have been excluded because of the complexity of their poems.

The poems in this anthology have been sequenced based on ease, from easy to more difficult, regardless of the poet. Therefore, you may find various poems from the same poet at various points throughout this selection. To ease your learning experience, the difficult terms in each poem have been underlined and translations of those terms have been provided at the end of each poem. A brief biography of each featured poet has also been provided at the end of the book.

It is hoped that readers can gain an appreciation of modern Persian poetry in this anthology, and through this anthology would be able to enjoy more advanced selections of modern Persian poetry in the future.

فهرست اشعار

برگزیده ی
شعرهای معاصر فارسی

زایَندگی

هر شب ستارِه ای به زمین می کِشَند و باز

این آسمانِ غَم زده غَرقِ سِتاره هاست.

« سیاِوش کسرایی »

Vocabulary

giving birth	زایندگی
star	ستاره
to drag down to the ground	به زمین می کشند (به زمین کشیدن)
again	باز
sad	غم زده
drowned in, full of	غرقِ

طَبیعتِ نیمه جان

ماه، غَمناک

راه، نَمناک

ماهیِ قِرمزِ اُفتاده بر خاک

«سیاوش کسرایی»

Vocabulary

nature	طبیعت
half alive	نیمه جان
moon	ماه
sad	غمناک
path, road	راه
wet, moist	نمناک
fish	ماهی
red	قرمز
fallen	افتاده
ground, soil	خاک

سفرنامه ی باران

آخَرین بَرگِ سَفَرنامه ی باران

این است

که زمین چِرکین است.

« محمد رضا شفیعی کدکنی »

Vocabulary

travel journal	سفرنامه
rain	باران
the last	آخرین
leaf	برگ
earth	زمین
soiled	چرکین

آرایشِ خورشید

اگر می شد صدا را دید

چه گُل هایی!

چه گُل هایی!

که از باغِ صِدای تو

به هر آواز می شد چید.

اگر می شد صدا را دید ...

« محمد رضا شفیعی کدکنی »

Vocabulary

decoration, arrangement	آرایش
sun	خورشید
sound	صدا
flower	گُل
garden	باغ
song	آواز
to pick flowers	چید (چیدن)

طَرح

شب

با گلوی خونین

خوانده ست دیرگاه

دریا، نِشَسته سَرد

یک شاخه

در سیاهیِ جَنگل

به سوی نور

فَریاد می کشد.

« احمد شاملو »

Vocabulary

sketch	طرح
throat	گلو
bloody	خونین
late	دیرگاه
sea	دریا
cold	سرد

branch of a tree	شاخه
darkness, blackness	سیاهی
forest, jungle	جنگل
towards	به سویِ
light	نور
to scream	فریاد می کشد (فریاد کشیدن)

در قَطار

می‌دود آسمان
می‌دود اَبر
می‌دود دَرّه و می‌دود کوه
می‌دود جنگلِ سَبزِ اَنبوه
می‌دود رود
می‌دود نَهر
می‌دود دهکده
می‌دود شَهر
می‌دود، می‌دود، دَشت و صَحرا
می‌دود موجِ بی‌تابِ دریا
می‌دود خونِ گُلرنگِ رَگ‌ها
می‌دود فکر
می‌دود عُمر
می‌دود، می‌دود، می‌دود راه
می‌دود موج و مَهواره و ماه

می‌دود زندگی خواه و ناخواه

من چرا گوشه‌ای می‌نِشینم؟

« ژاله اصفهانی »

Vocabulary

train	قطار
to run	می دود (دویدن)
sky	آسمان
valley	درّه
forest, jungle	جنگل
full, thick	انبوه
river	رود
stream	نهر
village	دهکده
town, city	شهر
plains and meadows	دشت و صحرا
wave	موج
restless	بی تاب
sea	دریا
blood	خون
in the color of flowers, red	گلرنگ

vein	رگ
thought	فکر
lifetime, life	عمر
way, road	راه
satellite	مهواره
moon	ماه
life	زندگی
whether [you] want it or not	خواه و ناخواه
corner	گوشه

مهمانی

کاش می شد، یک روز

شِعری از نان

یا نانی از شِعر

فَراهَم آورد

و همه خَلقِ خدا را، یک جا

به سرِ سُفره ی خود

مِهمان کرد.

« میمنت میرصادقی – ذوالقدر »

Vocabulary

feast	مهمانی
[I] wish	کاش می شد
to prepare	فراهم آورد (فراهم آوردن)
God's creatures	خلقِ خدا
all, all together	یک جا
table, a special cloth spread on the floor upon which food is served	سفره

چاره

برای هر ستاره که ناگهان

در آسمان

غُروب می کند

دلم هزار پاره است

دلِ هزار پاره را

خیالِ آن که آسمان

– هَمیشه و هَنوز –

پُر از ستاره است

چاره است.

« محمد زهری »

Vocabulary

remedy, solution	چاره
star	ستاره
suddenly	ناگهان
to set (sun or stars)	غروب می کند (غروب کردن)

heart	دل
a thousand pieces	هزارپاره
thought, dream	خیال
always, forever	همیشه
yet, still	هنوز

پَرَنده مُردَنی است

دلم گرفته است

دلم گرفته است

به ایوان می روم و اَنگُشتانم را

بر پوستِ کشیده ی شب می کشم

چراغ های رابطه تاریکند

چراغ های رابطه تاریکند

کسی مرا به آفتاب

مُعَرّفی نخواهد کرد

کسی مرا به میهمانیِ گُنجِشک ها نخواهد بُرد

پَرواز را به خاطرِ بسپار

پَرَنده مُردَنی ست

«فروغ فرخزاد»

Vocabulary

bird	پرنده
mortal	مردنی
to feel nostalgic	دلم گرفته است (دل کسی گرفتن)

balcony, porch	ایوان
to touch with fingers	انگشتانم را ... می کشم (انگشت کشیدن)
skin	پوست
vast	کشیده
lamp, light	چراغ
connection	رابطه
dark	تاریک
sunlight, sun	آفتاب
not to introduce	معرفی نخواهد کرد (معرفی نکردن)
feast	میهمانی (مهمانی)
sparrow	گنجشک
flight	پرواز
to remember	به خاطر بسپار (به خاطر سپردن)

شکار

بایدِ به انتظار بمانم
باید، کنارِ پَنجره، اینجا
بنشینم و به اسمِ تَماشا
کمین کنم
آن شعرِ ناتَمام که دیشب
در لَحظه ی سُرودن
از خاطرم پَرید
جایی میانِ باغچه
پنهان است
من فکر می کنم
یا زیرِ بوته هاست
یا لایِ شاخه های دِرَختان است

باید کنارِ باغچه
اینجا کمین کنم.

« میمنت میرصادقی – ذوالقدر »

Vocabulary

hunt	شکار
to wait	به انتظار بمانم (به انتظار ماندن)
next to	کنارِ
window	پنجره
in the name of	به اسمِ
watching	تماشا
to wait in ambush, to lurk	کمین کنم (کمین کردن)
unfinished, incomplete	ناتمام
moment	لحظه
to write poetry, to sing	سرودن
mind, memory	خاطر
in the middle, in between	میانِ
garden, small garden	باغچه
hidden	پنهان
under	زیرِ
bush	بوته
in between	لایِ
branch of a tree	شاخه
trees	درختان (درخت ها)

سُرودِ آشنایی

کیستی که من

اینگونه

به اِعتِماد

نامِ خود را

با تو می گویم

کلیدِ خانه ام را

در دستت می گُذارم

نانِ شادی هایم را

با تو قِسمَت می کنم

به کنارَت می نشینم و

بر زانوی تو

اینچنین آرام

به خواب می روم؟

« احمد شاملو »

Vocabulary

poem, song	سرود
friendship, acquaintance	آشنایی
who are you	کیستی (که هستی)
like this	اینگونه
trustfully	به اعتماد
name	نام
key	کلید
to place, to put	می گذارم (گذاشتن)
happiness, joy	شادی
to share, to divide	قسمت می کنم (قسمت کردن)
next to	به کنارِ
lap, knee	زانو
like this	اینچنین

هَدیه

من از نَهایتِ شب حَرف می زنم
من از نَهایتِ تاریکی
و از نَهایتِ شب حَرف می زنم

اگر به خانه ی من آمدی
برای من، ای مهرَبان، چِراغ بیار
و یک دَریچه که از آن
به اِزدِحامِ کوچه ی خوشبَخت بِنگرم.

« فروغ فرخزاد »

Vocabulary

present, gift	هدیه
the far end	نهایت
to speak	حرف می زنم (حرف زدن)
darkness	تاریکی
if	اگر
kind	مهربان

lamp, light	چراغ
to bring	بیار (بیاور) (آوردن)
small window	دریچه
crowd	ازدحام
alley, narrow street	کوچه
happy	خوشبخت
to look at, to watch	بنگرم (نگریستن)

خونِ من و تَمِشک

وقتی که در کنارهِ ی جنگل
می خواستم
از بوته ای تَمِشک بچینم،
اَنگشتِ من ز بوسه ی خاری نالید.

اَکنون شُکوفه ی سُرخی
لَبخَند می زند به سینه ی پیراهَن،
این خونِ مهربانِ تَمِشک است
یا خونِ من؟

دُرُست نمی دانم.

« محمود کیانوش »

Vocabulary

blood	خون
raspberries	تمشک
edge of	کناره ی
forest, jungle	جنگل
bush	بوته

to pick/pluck fruits, flowers, etc.	بچینم (چیدن)
finger	انگشت
thorn	خار
to moan, to groan	نالید (نالیدن)
now	اکنون
blossom	شکوفه
red, crimson	سرخ
to smile	لبخند می زند (لبخند زدن)
chest	سینه
shirt	پیراهن
I'm not sure	درست نمی دانم

احساس

بَستَرم

صَدفِ خالیِ یک تَنهایی ست

و تو چون مُروارید

گردَن آویزِ کسانِ دگری ...

« هوشنگ ابتهاج (ه.ا. سایه) »

Vocabulary

feeling	احساس
bed	بستر
shell	صدف
empty	خالی
loneliness	تنهایی
like, similar to	چون
pearl	مروارید
necklace	گردن آویز
other people	کسانِ دگر (کسانِ دیگر)

قصّه

دلِ من باز چو نِی می نالد.

ایِ خُدا، خونِ کُدامین عاشِق

باز در چاه چِکید؟

« هوشنگ ابتهاج (ه . ا . سایه) »

Vocabulary

story, tale	قصّه
again	باز
similar to, like	چو
flute	نِی
leaf	می نالد (نالیدن)
earth	خون
which	کدامین
in-love (someone who is in-love)	عاشق
well, shaft	چاه
to drip	چکید (چکیدن)

شَبانه

شَبانه شعری چگونه توان نوشت
تا هَم از قَلبِ من سُخَن بگوید، هم از بازویم؟

شَبانه
شعری چنین
چگونه توان نوشت؟

*

من آن خاکسترِ سَردم که در من
شُعله ی هَمه ی عُصیان هاست.

من آن دریای آرامَم که در من
فَریادِ هَمه ی توفان هاست.

من آن سَردابِ تاریکم که در من
آتَشِ هَمه ی ایمان هاست.

« احمد شاملو »

Vocabulary

at night, nocturnal, nightly	شبانه
how	چگونه
also	هم
heart	قلب
to speak, to talk	سخن بگوید (سخت گفتن)
arm	بازو
like this	چنین
ashes	خاکستر
cold	سرد
flame(s)	شعله
all	همه
rebellion	عصیان
sea	دریا
scream	فریاد
storm	توفان
cellar	سرداب
dark	تاریک
fire	آتش
faith	ایمان

طلسم

تو دَرین اِنتِظار پوسیدی

که کلیدِ رَهایی ات را ، باد ،

آرَد و اَفکَنَد به دامانَت.

« محمد رضا شفیعی کدکنی »

Vocabulary

spell, charm	طلسم
in this	درین (در این)
waiting, anticipation	انتظار
to rot, to decay	پوسیدی (پوسیدن)
key	کلید
freedom	رهایی
to bring	آرد (آورد) (آوردن)
to throw, to drop	افکند (افکندن)
lap	دامان (دامن)

تاریک

چون صاعِقه

در کوره ی بی صَبری ام

امروز

از صُبح که بَرخاسته ام

اَبری ام

امروز.

« محمد رضا شفیعی کدکنی »

Vocabulary

dark	تاریک
like, similar to	چون
thunderbolt	صاعقه
kiln	کوره
impatience	بی صبری
to get up, to rise	برخاسته ام (برخاستن)
cloudy	ابری

پرنده می داند

خیالِ دِلکشِ پَرواز در طَراوَتِ ابر
به خواب می مانَد.
پرنده در قَفَسِ خویش
خواب می بیند.

پرنده در قَفَسِ خویش
به رَنگ و روغَنِ تَصویرِ باغ می نِگرد.
پرنده می داند
که باد بی نَفَس است
و باغ تَصویری ست.

پرنده در قَفَسِ خویش
خواب می بیند.

« هوشنگ ابتهاج (ه . ا . سایه) »

Vocabulary

bird	پرنده
dream	خیال
pleasant, enchanting	دلکش
flight	پرواز
freshness	طراوت
to resemble	می ماند (ماندن)
its cage	قفسِ خویش
color and oil (color and shine)	رنگ و روغن
image	تصویر
garden	باغ
to look at	می نگرد (نگریستن)
breathless, does not breathe, lifeless	بی نفس

شَبانه

در نیست
راه نیست
شب نیست
ماه نیست
نه روز و
نه آفتاب.

ما
بیرونِ زَمان
ایستاده ایم،
با دشنه ی تَلخی
در گُرده های مان.
هیچ کس
با هیچ کس
سُخَن نمی گوید
که خاموشی

به هزارِ زَبان

در سُخَن است.

در مُردگانِ خویش

نَظَر می بَندیم

با طرحِ خَنده ای.

و نوبَتِ خود را اِنتظار می کشیم

بی هیچ خَنده ای!

« احمد شاملو »

Vocabulary

at night, nocturnal, nightly	شبانه
door	در
path, road	راه
moon	ماه
sun, sunshine, sunlight	آفتاب
outside	بیرونِ
time	زمان
to stand	ایستاده ایم (ایستادن)
dagger	دشنه

bitter	تلخ
upper back of one's body	گُرده
no one	هیچ کس (هیچکس)
to speak, to talk	سخن نمی گوید (سخن نگفتن)
silence	خاموشی
thousand	هزار
language, tongue	زبان
to be speaking	در سخن است (در سخن بودن)
the dead	مردگان
one's own	خویش
to stare at, to gaze at	نظر می بندیم (نظر بستن)
sketch, mimic	طرح
laugh, smile	خنده
one's turn or time	نوبت
to wait for	انتظار می کشیم (انتظار کشیدن)
without	بی هیچ

دریا

حَسرَت نَبَرم به خوابِ آن مُرداب

کآرام میانِ دَشتِ شب خُفته ست

دریایم و نیست باکم از طوفان:

دریا همه عُمر خوابَش آشُفته ست

« محمد رضا شفیعی کدکنی »

Vocabulary

to envy	حسرت نَبَرم (حسرت بُردن)
swamp	مرداب
that calmly	کآرام (که آرام)
open field, meadow	دشت
asleep	خفته (خوابیده)
fear	باک
storm	طوفان
disturbed	آشفته

دو خَط

دیروز،

- چون دو واژه به یک مَعنی -

از ما دوگانه،

هر یک

سَرشارِ دیگری

اوجِ یگانگی.

و امروز،

چون دو خطِ مُوازی

در امتدادِ یک راه

یک شهر

یک اُفُق

بی نُقطه ی تَلاقی و دیدار

حَتّی،

در جاودانگی.

« محمد رضا شفیعی کدکنی »

Vocabulary

line	خط
like, similar to	چون
word	واژه
meaning	معنی
two, dual, both	دوگانه
full of	سرشار
peak, summit, ultimate	اوج
unity	یگانگی
parallel	موازی
along	در امتداد
road, path	راه
city, town	شهر
horizon	افق
point	نقطه
colliding	تلاقی
meeting	دیدار
even	حتی
eternity	جاودانگی

فَریادهای خاموشی

دریا - صَبور و سنگین -

می خواند و می نوشت:

- ... من خواب نیستم !

خاموش اگر نِشَستم

مُرداب نیستم !

روزی که برخُروشَم و زَنجیر بُگسَلَم

روشَن شود که آتَشَم و آب نیستم !

« فریدون مشیری »

Vocabulary

scream	فریاد
silence	خاموشی
patient, tolerant	صبور
heavy	سنگین
not to be asleep	خواب نیستم (خواب نبودن)
silent	خاموش

swamp	مرداب
to roar	برخروشم (بر خروشیدن)
chain	زنجیر
to break	بگسلم (گسلیدن) (گسیختن، گسستن)
to become clear	روشن شود (روشن شدن)
fire	آتش

در جاودانگی

پیش از شما

به سانِ شما

بی شُمارها

با تارِ عَنکبوت

نوشتند روی باد:

« کاین دولَتِ خُجَسته ی جاوید زِنده باد. »

« محمد رضا شفیعی کدکنی »

Vocabulary

eternity	جاودانگی
before, prior to	پیش از
like, similar to	بسانِ
countless people	بی شمارها
spider web	تارِ عنکبوت
that this	کاین (که این)
empire, reign	دولت
blessed	خجسته
everlasting	جاوید
long live	زنده باد

سُرخ و سِفید

تا نیارایَد گیسوی کبودش را

به شَقایِق ها

صبحِ فَرخُنده

در آیینه نخواهد خندید!

« هوشنگ ابتهاج (ه . ا . سایه) »

Vocabulary

red, crimson	سرخ
white	سفید
until	تا
not to decorate	نیاراید (نیاراستن)
hair	گیسو
dark	کبود
with	به
poppy	شقایق
morning, dawn	صبح
mirror	آیینه (آینه)

صَبوحی

برداشت آسمان را

چون کاسه ای کبود

و صبح سُرخ را

لاجُرعه سَر کشید.

آنگاه

خورشید در تَمامِ وُجودش طُلوع کرد ...

« هوشنگ ابتهاج (ه . ا . سایه) »

Vocabulary

morning wine	صبوحی
like	چون
bowl	کاسه
dark	کبود
dawn, morning	صبح
red, crimson	سرخ
one gulp	لاجرعه
to drink	سر کشید (سر کشیدن)

then	آنگاه
all of, the entire	تمامِ
sun	خورشید
existence	وجود
to rise (sun or stars)	طلوع کرد (طلوع کردن)

چون آفتابِ صُبح ...

می گفت:

آن مدادِ طَلایی را

- جادوی کوچکی که در اَفسانه ها گفته اند -

روزی اگر بیابم

خواهم نوشت:

نان

به آرِزوی آن که به دِلخواه

سَهمی از آن بیابند

- در هر کجا که هستند -

خیلِ گُرُسنگان!

اَفسانه را رَها کن

گفتم

امّا

این نیَّتِ طَلایی را

بنویس

با هرچه می توانی

بر هر چه می توانی

با هر زَبان که دانی

هر جا و هر زَمان

تا آرزوی دور تو، یک روز

چون آفتابِ صُبح برآیَد

ناگاه، در جَهان!

« میمنت میرصادقی – ذوالقدر »

Vocabulary

like, similar to	چون
sun, sunlight, sunshine	آفتاب
morning	صبح
pencil	مداد
golden	طلایی
magic	جادو
fable, legend	افسانه
to find, to discover	بیابم (یافتن)
wish	آرزو

as desired	به دلخواه
share	سهم
large number of people	خیل
the hungry	گرسنگان
to let go	رها کن (رهاکردن)
intention	نیّت
on	بر
language	زبان
time	زمان
far	دور
to rise	برآید (برآمدن)
suddenly	ناگاه
world	جهان

سه آفتاب ...

آئینه بود آب.

*

از بیکرانِ دریا، خورشید می دَمید.
زیبایِ من شُکوهِ شِکفُتَن را
در آسمان می دید.
اینَک:
سه آفتاب!

« فریدون مشیری »

Vocabulary

sun, sunlight	آفتاب
mirror	آئینه (آینه)
endless	بیکران
sun	خورشید
to rise	می دمید (دمیدن)
my beauty, my beautiful darling	زیبایِ من
glory	شکوه
to bloom, to blossom	شکفتن
now	اینک

ساعتِ اعدام

در قُفلِ در کِلیدی چَرخید.

لَرزید بر لبانش لبخندی
چون رَقصِ آب بَر سَقف
از انعِکاسِ تابشِ خورشید

در قُفلِ در کِلیدی چَرخید.

*

بیرون
رَنگِ خوشِ سِپیده دَمان
مانندهٔ ی یکی نوتِ گُمگشته
می گشت پَرسه پَرسه زَنان
روی سوراخ های نِی
دُنبالِ خانه اش ...

*

در قُفلِ در کِلیدی چَرخید.

رَقصید بر لبانش لبخندی

چون رَقصِ آب بر سَقف

از انعکاسِ تابِشِ خورشید

*

در قُفلِ در

کِلیدی چَرخید.

« احمد شاملو »

Vocabulary

hour	ساعت
execution	اعدام
lock	قفل
key	کلید
to turn	چرخید (چرخیدن)
to tremble	لرزید (لرزیدن)
dance	رقص
on	بر
ceiling	سقف
reflection	انعکاس

shining	تابش
outside	بیرون
cheerful, good, beautiful	خوش
dawn, sunrise	سپیده دمان
similar to, like	مانندِه
music note	نوت
lost	گمگشته
to move	می گشت (گشتن)
wandering around	پرسه پرسه زنان
hole	سوراخ
flute	نِی
in search of	دنبالِ

طَرح

گِلوی مُرغِ سَحَر را بُریده‌اند و

هَنوز

در این شَطِّ شَفَق

آوازِ سُرخ او

جاری است...

« هوشنگ ابتهاج (ه . ا. سایه) »

Vocabulary

sketch	طرح
throat	گلو
nightingale	مرغ سحر
to cut	بریده اند (بریدن)
yet, still	هنوز
river	شط
dusk	شفق
song	آواز
red, crimson	سرخ
running, flowing	جاری

اُفُقِ روشن

روزی ما دوباره کبوتَرهایمان را پیدا خواهیم کرد
و مهربانی دستِ زیبایی را خواهد گرفت.

*

روزی که کمترین سُرود
بوسه است
و هر انسان
برای هرِ انسان
بَرادَری ست

روزی که دیگر درهای خانه شان را نمی بندند
قُفل
اَفسانه ای ست
و قَلب
برای زندگی بس است.

روزی که مَعنایِ هر سُخَن دوست داشتن است
تا تو به خاطرِ آخَرین حَرف دُنبالِ سُخَن نگردی.

روزی که آهَنگِ هر حَرف، زِندگی ست
تا من به خاطرِ آخَرین شعر رَنجِ جُست و جوی قافیه نَبَرم.

روزی که هر لب تَرانه ای ست
تا کمترین سُرود، بوسه باشد.

روزی که تو بیایی، برایِ هَمیشه بیایی
و مهربانی با زیبایی یِکسان شود.

روزی که ما دوباره برای کبوترهایمان دانه بریزیم ...

*

و من آن روز را انتظار می کشم
حَتّی روزی
که دیگر نباشم.

« احمد شاملو »

Vocabulary

horizon	افق
bright	روشن
again	دوباره
dove	کبوتر
to find	پیدا خواهیم کرد (پیدا کردن)
kindness	مهربانی
beauty	زیبایی
the least, the smallest amount	کمترین
song, poem	سرود
kiss	بوسه
human	انسان
brother	برادر
other	دیگر
fable, legend	افسانه
heart	قلب
life	زندگی
enough	بس
meaning	معنا
talk, word	سخن

for	به خاطرِ
the last, the ultimate	آخرین
talk	حرف
not to look for something/someone	دنبالِ ... نگردی (دنبالِ ... نگشتن)
melody, song	آهنگ
not to suffer	رنج نبرم (رنج نبردن)
search	جست و جو
rhyme	قافیه
forever	برای همیشه
the same	یکسان
to wait for	انتظار می کشم (انتظار کشیدن)
even, even though	حتی

عشقِ عُمومی

اَشک رازی ست
لبخند رازی ست
عشق رازی ست

اَشکِ آن شب، لبخندِ عشقَم بود.

*

قصّه نیستم که بگویی
نَغمه نیستم که بخوانی
صِدا نیستم که بشنوی
یا چیزی چُنان که ببینی
یا چیزی چُنان که بدانی ...

من دَردِ مُشتَرِکم
مرا فَریاد کن.

*

درخت با جنگل سخن می گوید
عَلف با صَحرا
ستاره با کهکشان
و من با تو سخن می گویم

نامَت را به من بگو
دستت را به من بده
حَرفت را به من بگو
قلبت را به من بده

من ریشه های ترا دریافته ام
با لبانت برای همه لب ها سخن گفته ام
و دست هایت با دستانِ من آشناست

در خَلوتِ روشَن با تو گِریسته ام
برای خاطرِ زندِگان،
و در گورِستانِ تاریک با تو خوانده ام
زیباترینِ سُرودها را
زیرا که مُردگانِ این سال

عاشق تریِن زندگان بوده اند.

دستت را به من بده
دست های تو با من آشناست
ای دیریافته با تو سخن می گویم
بسانِ ابر که با توفان
بسانِ علف که با صحرا
بسانِ باران که با دریا
بسانِ پرنده که با بهار
بسانِ درخت که با جنگل سخن می گوید

زیرا که من ریشه های ترا دریافته ام
زیرا که صدای من
با صدای تو آشناست.

« احمد شاملو »

Vocabulary

love	عشق
public	عمومی
tears	اشک
secret	راز
tale, story	قصّه
song	نغمه
sound	صدا
as	چنان که
pain	درد
mutual, common, shared	مشترک
to scream	فریاد کن (فریاد کردن)
tree	درخت
forest, jungle	جنگل
to talk, to speak	سخن می گوید (سخن گفتن)
grass	علف
meadow	صحرا
star	ستاره
universe	کهکشان
name	نام

word, talk	حرف
heart	قلب
root	ریشه
you	ترا (تو را)
to understand, to grasp	دریافته ام (دریافتن)
for	برایِ
familiar	آشنا
solitude	خلوت
bright	روشن
to cry	گریسته ام (گریستن)
for	برایِ خاطرِ
the living	زندگان
cemetery	گورستان
dark	تاریک
the most beautiful	زیباترین
song, poem	سرود
because	زیرا
the dead	مردگان
year	سال
to be the most in-love	عاشق ترینِ ... بودند (عاشق ترین بودن)
Hey you, who I have found so late!	ای دیریافته!

like		بسانِ
storm		توفان
rain		باران
bird		پرنده
spring, springtime		بهار

از عَموهایت

برای سیاوش کوچک

نه به خاطرِ آفتاب نه به خاطرِ حماسه
به خاطرِ سایه ی بامِ کوچکش
به خاطرِ تَرانه ای
کوچک تر از دست های تو
نه به خاطرِ جَنگل ها نه به خاطرِ دریا
به خاطرِ یک برگ
به خاطرِ یک قَطره
روشَن تر از چشم های تو
نه به خاطرِ دیوارها - به خاطرِ یک چَپَر
نه به خاطرِ همه ی انسان ها -
به خاطرِ نوزادِ دُشمَنش شایَد
نه به خاطرِ دُنیا - به خاطرِ خانه ی تو
به خاطرِ یقینِ کوچکت
که انسان دُنیایی است
به خاطرِ آرزوی یک لَحظه ی من که در پیشِ تو باشم
به خاطرِ دست های کوچکت در دست های بزرگِ من

و لبِ های بزرگِ من
بر گونه های بی گُناهِ تو

به خاطرِ پَرَستویی در باد،
هِنگامی که تو هلهِله می کنی
به خاطرِ شَبنَمی بر برگ، هِنگامی که تو خُفته ای
به خاطرِ یک لبخند
هِنگامی که مرا در کنارِ خود می بینی

به خاطرِ یک سُرود
به خاطرِ یک قِصّه در سردترینِ شب ها
تاریک ترینِ شب ها
به خاطرِ عَروسَک های تو،
نه به خاطرِ انسان های بزرگ
به خاطرِ سَنگفَرشی که مرا به تو می رسانَد،
نه به خاطرِ شاهراه های دوردَست
به خاطرِ ناودان، هنگامی که می بارَد
به خاطرِ کندوها و زَنبورهای کوچک

به خاطرِ جارِ سپیدِ ابر در آسمانِ بزرگِ آرام

به خاطرِ تو

به خاطرِ هر چیزِ کوچک، هر چیزِ پاک

بر خاک اُفتادند

به یاد آر

عَموهایت را می گویم

از مُرتِضا سُخَن می گویم.

« احمد شاملو »

Vocabulary

uncle	عمو
for	به خاطرِ
epic, legend	حماسه
shadow	سایه
roof	بام
song	ترانه
leaf	برگ
drop	قطره
bright	روشن

wall	دیوار
hedge, fence	چپر
human	انسان
infant	نوزاد
enemy	دشمن
maybe, perhaps	شاید
world	دنیا
certainty	یقین
wish	آرزو
moment	لحظه
next to	پیشِ
lip(s)	لب
cheek	گونه
innocent	بی گناه
swallow (bird)	پرستو
when	هنگام
to cheer	هلهله می کنی (هلهله کردن)
dew	شبنم
to sleep	خفته ای (خفتن)
next to	کنارِ
song, poem	سرود

tale, story	قصّه
doll	عروسک
pavement (paved with cobblestones)	سنگفرش
highway	شاهراه
faraway	دوردست
drainpipe, gutter	ناودان
beehive	کندو
bee	زنبور
shout	جار
pure	پاک
to fall on the ground (to die)	بر خاک افتادند (بر خاک افتادن)
to remember	به یاد آر (به یاد آور) (به یاد آوردن)
to speak	سخن می گویم (سخن گفتن)

مرگ بر مرگ

در زمانی که بر خاک غَلطید

از تَگرگِ سَحَرگاهی،

آن برگ،

زیرِ لب،

تُند،

با باد می گفت:

زنده بادا،

زندگانی!

مرگ بر مرگ!

مرگ بر مرگ!

« محمد رضا شفیعی کدکنی »

Vocabulary

death to	مرگ بر
to fall down on the ground	بر خاک غلطید (بر خاک غلطیدن)
hail	تگرگ
morning	سحرگاهی
whispering	زیر لب
long live	زنده بادا

و پَیامی در راه

روزی

خواهم آمد، و پَیامی خواهم آورد.

در رَگ ها، نور خواهم ریخت.

و صدا خواهم در داد: ای سَبَدهاتان پُرخواب! سیب آوردم، سیبِ سرخِ خورشید.

خواهم آمد، گُلِ یاسی به گِدا خواهم داد.

زنِ زیبای جُذامی را، گوشواری دیگر خواهم بَخشید.

کور را خواهم گفت: چه تَماشا دارد باغ!

دوره گردی خواهم شد، کوچه ها را خواهم گشت،

جار خواهم زد: آی شَبنم، شَبنم، شَبنم.

رَهگذاری خواهد گفت: راستی را، شبِ تاریکی ست.

کهکشانی خواهم دادش.

روی پُل دُخترکی بی پاست، دُبِّ اَکبَر را بر گردَنِ او خواهم آویخت.

هرچه دُشنام، از لب ها خواهم بَرچید.

هرچه دیوار، از جا خواهم بر کند.

رَهزَنان را خواهم گفت: کاروانی آمد بارَش لبخند!

ابر را، پاره خواهم کرد.

من گرهِ خواهم زد، چشمان را با خورشید، دل ها را با عشق،

سایه ها را با آب، شاخه ها را با باد.

و بهَم خواهم پیوَست، خوابِ کودک را با زِمزِمه ی زَنجِره ها.

بادبادَک ها، به هَوا خواهم بُرد.

گُلدان ها، آب خواهم داد.

خواهم آمد، پیشِ اَسبان، گاوان، عَلَفِ سبزِ نَوازش خواهم ریخت.

مادیانی تِشنه، سَطلِ شَبنم را خواهم آورد.

خَرِ فَرتوتی در راه، من مَگس هایش را خواهم زد.

خواهم آمد سرِ هر دیواری، میخَکی خواهم کاشت.

پایِ هر پنجره ای، شعری خواهم خواند.

هر کلاغی را، کاجی خواهم داد.

مار را خواهم گفت: چه شُکوهی دارد غوک!

آشتی خواهم داد.

آشنا خواهم کرد.

راه خواهم رفت.

نور خواهم خورد.

دوست خواهم داشت.

« سهراب سپهری »

Vocabulary

message	پیام
vein	رگ
light	نور
to shout	صدا در خواهم داد (صدا در دادن)
basket	سبد
full of sleep, sleepy	پرخواب
red, crimson	سرخ
jasmine	گل یاس
beggar	گدا
leper	جذامی
earrings	گوشوار (گوشواره)

to give	خواهم بخشید (بخشیدن)
blind	کور
view	تماشا
garden	باغ
peddler	دوره گرد
alley, narrow street	کوچه
to shout	جار خواهم زد (جار زدن)
dew	شبنم
passerby	رهگذار (رهگذر)
it truly is ...	راستی را ...
universe	کهکشان
bridge	پل
Big Dipper	دبّ اکبر
neck	گردن
curse words	دشنام
to uproot	از جا خواهم کند (از جا کندن)
bandit	رهزن
caravan	کاروان
cargo, load	بار
to tear apart	پاره خواهم کرد (پاره کردن)
to tie a knot	گره خواهم زد (گره زدن)

shadow	سایه
branch of tree	شاخه
to join, to connect	بهم خواهم پیوست (بهم پیوستن)
humming sound	زمزمه
cricket	زنجره
kite	بادبادک
air	هوا
flowerpot	گلدان
horses	اسبان
cows	گاوان (گاوها)
grass	علف
caress, loving touch	نوازش
mare	مادیان
thirsty	تشنه
bucket	سطل
donkey	خر
old	فرتوت
fly (insect)	مگس
carnation	میخک
under	پایِ
crow	کلاغ

pine	کاج
snake	مار
elegance, grace	شکوه
frog	غوک
to reconcile two sides	آشتی خواهم داد (آشتی دادن)
to familiarize someone with something	آشنا خواهم کرد (آشنا کردن)

دَریچه ها

ما چون دو دَریچه، روبروی هَم،
آگاه ز هر بگومگوی هم.
هر روز سلام و پُرسِش و خنده،
هر روز قَرارِ روزِ آیَنده.
عُمر آینه ی بِهشت، امّا ... آه
بیش از شب و روزِ تیر و دِی، کوتاه
اکنون دلِ من شکسته و خسته ست،
زیرا یکی از دَریچه ها بسته ست.
نه مهر فُسون، نه ماه جادو کرد،
نِفرین به سَفَر، که هرچه کرد او کرد.

« مهدی اخوان ثالث »

Vocabulary

small window	دریچه
in front of each other, facing each other	روبروی ِ هم
aware	آگاه

revealed and unrevealed, the obvious and secrets	بگو مگو
question	پرسش
a date, an appointment	قرار
the next day	روزِ آینده
life, lifetime	عمر
mirror	آینه
heaven, paradise	بهشت
first month of summer in the Iranian calendar	تیر
first month of winter in the Iranian calendar	دی
kindness	مهر
spell, charm	فسون (افسون)
to perform magic	جادو کرد (جادو کردن)
damn	نفرین
long trip	سفر

لَحظه ی دیدار

لَحظه ی دیدار نزدیک ست.
باز من دیوانه ام، مَستم.
باز می لرزد، دلم، دستم،
باز گویی در جهانِ دیگری هستم.

های، نَخراشی به غفلَت گونه ام را، تیغ!
های، نَپریشی صَفای زُلفَکم را، دست!
وآبرویَم را نریزی، دل!
- ای نَخورده مَست -
لَحظه ی دیدار نزدیک ست.

« مهدی اخوان ثالث »

Vocabulary

moment	لحظه
encounter, meeting	دیدار
crazy, insane	دیوانه

drunk	مست
as if	گویی
not to scratch	نخراشی (نخراشیدن)
negligently, carelessly	به غفلت
cheek	گونه
razor blade	تیغ
not to dishevel, not to disarrange (hair)	نپریشی (نپریشیدن)
neatness	صفا
hair (usually on top front of head)	زلفک (زلف)
to humiliate/disgrace someone	آبرویم را نریزی (آبروی کسی را ریختن)

پژواک

به پایان رسیدیم امّا

نکردیم آغاز،

فرو ریخت پَرها

نکردیم پَرواز،

بِبَخشای

ای روشَنِ عشق بر ما،

بِبَخشای !

بِبَخشای اگر صبح را

ما به مِهمانیِ کوچه

دَعوَت نکردیم؛

بِبَخشای

اگر روی پیراهنِ ما

نِشانِ عُبورِ سَحَر نیست؛

بِبَخشای ما را

اگر از حُضورِ فَلَق

روی فَرقِ صِنوبَر

خَبَر نیست.

نَسیمی

گیاهِ سَحرگاه را،

در کمَندی فِکنده ست و

تا دشتِ بیداری اش می کِشاند

و ما کمتر از آن نَسیمیم،

در آن سویِ دیوارِ بیمیم.

بِبَخشای

ای روشَنِ عشق

بر ما بِبَخشای !

به پایان رسیدیم امّا،

نکردیم آغاز؛

فُرو ریخت پَرها

نکردیم پَرواز.

« محمدرضا شفیعی کدکنی »

Vocabulary

echo	پژواک
to reach the end	به پایان رسیدیم (به پایان رسیدن)
not to start	نکردیم آغاز (آغاز نکردن)
to fall off	فرو ریخت (فرو ریختن)
feather, wing	پر
not to fly	نکردیم پرواز (پرواز نکردن)
to forgive	ببخشای (بخشیدن)
bright, brightness	روشن
feast	مهمانی
alley, narrow street	کوچه
not to invite	دعوت نکردیم (دعوت کردن)
clothes, garments	پیراهن
sign	نشان
passage, passing, crossing	عبور
daybreak, dawn	سحر
presence	حضور
sunrise	فلق
top of the head	فرق
spruce	صنوبر

there is no news	خبر نیست (خبر نبودن)
breeze	نسیم
plant	گیاه
lasso	کمند
to capture	فکنده ست (فکندن) (افکندن)
open field, meadow	دشت
awakening	بیداری
to drag	می کشاند (کشاندن)
fear	بیم

ندای آغاز

کفش هایم کو،
چه کسی بود صدا زد: سُهراب؟
آشنا بود صدا مثلِ هَوا با تَنِ برگ.
مادرم در خواب است.
و مَنوچهر و پَروانه، و شایَد همه ی مَردُمِ شهر.
شبِ خُرداد به آرامیِ یک مَرثیه از رویِ سرِ ثانیه ها می گذرد
و نَسیمی خُنَک از حاشیه ی سبزِ پَتو خوابِ مرا می روبَد.
بویِ هِجرَت می آید:
بالِشِ من پُرِ آوازِ پَرِ چِلچِله هاست.

صبح خواهد شد
و به این کاسه ی آب
آسمان هِجرَت خواهد کرد.

باید امشب بروم.

من که از بازترین پنجره با مَردُمِ این ناحیه صُحبَت کردم

حرفی از جِنسِ زَمان نشنیدم.
هیچ چشمی، عاشِقانه به زمین خیره نبود.
کسی از دیدنِ یک باغچه مَجذوب نشد.
هیچکس زاغچه ای را سرِ یک مَزرَعه جِدّی نگرفت.

من به اَندازه ی یک ابر دِلم می گیرد
وقتی از پنجره می بینم حوری
- دُخترِ بالِغِ هَمسایه -
پایِ کمیاب ترین نارِوَنِ روی زمین
فِقه می خوانَد.

چیزهایی هم هست، لحظه هایی پُر اوج
(مثلاً شاعِره ای را دیدم
آنچنان مَحوِ تَماشای فَضا بود که در چشمانش
آسمان تُخم گذاشت.
و شبی از شب ها
مردی از من پرسید
تا طُلوعِ اَنگور، چَند ساعَت راه است؟)

باید امشب بروم.

باید امشب چَمِدانی را

که به اَندازه ی پیراهَنِ تَنهاییِ من جا دارد، بردارم

و به سَمتی بروم

که درختانِ حماسی پیداست،

رو به آن وُسعَتِ بی واژه که هَمواره مَرا می خوانَد.

یک نفر باز صدا زد: سُهراب !

کفش هایم کو؟

«سهراب سپهری»

Vocabulary

call	ندا
beginning	آغاز
where is	کو (کجاست)
to call out	صدا زد (صدا زدن)
to be familiar	آشنا بود (آشنا بودن)
air	هوا
body	تن
maybe	شاید

people	مردم
city, town	شهر
last month of spring in the Iranian calendar	خرداد
elegy	مرثیه
second (time)	ثانیه
breeze	نسیم
cool	خنک
edge, border	حاشیه
blanket	پتو
to sweep	می‌روبد (روبیدن)
scent, smell	بو
departure	هجرت
pillow	بالش
full of	پُر
feather	پَر
swallow (bird)	چلچله
bowl	کاسه
region, area	ناحیه
sort, type of	جنس
time	زمان
lovingly, full of love	عاشقانه

not to stare	خیره نبود (خیره نبودن)
not to be mesmerized	مجذوب نشد (مجذوب شدن)
magpie	زاغچه
farm, field	مزرعه
not to take something seriously	جدّی نگرفت (جدّی نگرفتن)
in the size or amount of	به اندازه ی
to feel nostalgic, to feel blue	دلم می گیرد (دلِ کسی گرفتن)
mature	بالغ
neighbor	همسایه
under	پایِ
rarest	کمیاب ترین
elm	نارون
Islamic jurisprudence	فقه
of the highest point	پُر اوج
for example	مثلاً
poet (female)	شاعره
to be mesmerized by	محوِ تماشا .. بود (محوِ تماشا بودن)
space	فضا
to lay eggs	تخم گذاشت (تخم گذاشتن)
to rise (sun or stars)	طلوعِ
grapes	انگور

suitcase	چمدان
shirt	پیراهن
loneliness	تنهایی
to have room for	جا دارد (جا داشتن)
direction	سمت
epic	حماسی
to be visible	پیداست (پیدا بودن)
extent, vastness	وسعت
wordless	بی واژه
always, all the time	همواره
me	مرا (من را)

در آب های سبزِ تابستان

تنهاتر از یک برگ
با بارِ شادی های مَهجورم
در آب های سبزِ تابستان
آرام می رانم
تا سرزمینِ مرگ
تا ساحلِ غَم های پاییزی

در سایه ای خود را رَها کردم
در سایه ی بی اعتبارِ عشق
در سایه ی فَرّارِ خوشبَختی
در سایه ی ناپایداری ها

شب ها که می چَرخد نَسیمی گیج
در آسمانِ کوته دل تنگ
شب ها که می پیچَد مِهی خونین
در کوچه های آبیِ رَگ ها
شب ها که تنهاییم

با رَعشه های روحِ مان ، تنها -
در ضَربه های نَبضِ می جوشد
احساسِ هَستیِ، هَستیِ بیمار

« در انتظارِ دَرّه ها رازی ست»
این را به روی قُلّه های کوه
بر سنگ های سَهمگین کندند
آنها که در خَطّ سُقوطِ خویش
یک شب سکوتِ کوهساران را
از التماسیِ تَلخ آکندند

«در اضطرابِ دست های پُر،
آرامشِ دستانِ خالی نیست
خاموشیِ ویرانه ها زیباست»
این را زنی در آب ها می خواند
در آب های سبزِ تابستان
گویی که در ویرانه ها می زیست

ما یکدگر را با نَفَس هامان
آلوده می سازیم

آلوده ی تَقوای خوشبَختی
ما از صدای باد می ترسیم
ما از نُفوذِ سایه های شَک
در باغ های بوسه هامان رَنگ می بازیم
ما در تمامِ میهمانی های قَصرِ نور
از وَحشتِ آوار می لرزیم

*

اکنون تو اینجایی
گُستَرده چون عَطرِ اَقاقی ها
در کوچه های صُبح
بر سینه ام سَنگین
در دست هایم، داغ
در گیسوانم رفته از خود، سوخته، مَدهوش
اکنون تو اینجایی

چیزی وَسیع و تیره و اَنبوه
چیزی مُشوَّش چون صدای دوردَستِ روز
بر مَردُمَک های پَریشانم
می چرخد و می گُستَرَد خود را

شاید مَرا از چِشمه می گیرند

شاید مرا از شاخه می چینند

شاید مرا مثل دری بر لَحظه های بَعد می بندند

شاید ...

دیگر نمی بینم.

*

ما بر زمینی هَرزه روئیدیم

ما بر زمینی هَرزه می باریم

ما «هیچ» را در راه ها دیدیم

بر اسبِ زردِ بالدار خویش

چون پادشاهی راه می پیمود

اَفسوس، ما خوشبَخت و آرامیم

اَفسوس، ما دِلتَنگ و خاموشیم

خوشبَخت، زیرا دوست می داریم

دِلتنگ، زیرا عشق نفرینی ست

« فروغ فرخزاد »

<u>Vocabulary</u>

summer	تابستان
lonely	تنها
load, cargo	بار
joy, happiness	شادی
abandoned	مهجور
to ride	می رانم (راندن)
land	سرزمین
coast, shore, beach	ساحل
sorrow	غم
autumn-like	پائیزی
to let go, to free	رها کردم (رها کردن)
invalid	بی اعتبار
volatile, vaporous	فرّار
happiness	خوشبختی
unstable	ناپایداری
to turn around, to move around	می چرخد (چرخیدن)
confused	گیج
short	کوته (کوتاه)
to twist, to wander, to fill the space	می پیچد (پیچیدن)

fog	مه
bloody	خونین
vein	رگ
trembling, shaking	رعشه
soul	روح
beat, beating	ضربه
pulse	نبض
to boil	می جوشد (جوشیدن)
feeling, sense	احساس
existence	هستی
ill	بیمار
wait	انتظار
valley	درّه
summit, peak	قلّه
terrifying, formidable	سهمگین
to carve	کندند (کندن)
line	خط
falling	سقوط
begging	التماس
bitter	تلخ
to fill up	آکندند (آکندن)

anxiety	اضطراب
calmness, peace	آرامش
empty	خالی
ruins	ویرانه
as if	گویی که
to live	می زیست (زیستن)
breath	نفس
to pollute	آلوده می سازیم (آلوده ساختن)
piety, devotion	تقوا
penetration	نفوذ
doubt	شک
to lose color, to turn pale	رنگ می بازیم (رنگ باختن)
castle	قصر
debris	آوار
expanded, widespread	گسترده
perfume, scent	عطر
acacia	اقاقی
chest	سینه
heavy	سنگین
hot	داغ
hair	گیسوان

fainted	رفته از خود
unconscious	مدهوش
vast, extensive	وسیع
massive	انبوه
anxious	مشوّش
faraway	دوردست
pupil	مردمک
distracted, distressed	پریشان
me	مرا (من را)
fountain	چشمه
to pick/pluck fruits, flowers, etc.	می چینند (چیدن)
next	بعد
debouched, dissolute	هرزه
to grow	روئیدیم (روئیدن)
winged, with the wing	بالدار
to walk, to march	راه پیمود (راه پیمودن)
alas, it's a pity	افسوس
curse, spell	نفرین

از مرگ ...

هَرگز از مرگ نَهَراسیده ام
اگرچه دستانش از ابتِذال شِکنَنده تر بود.
هَراسِ من –باری– همه از مُردن در سَرزَمینی ست
که مُزدِ گورکن
از آزادیِ آدَمی
اَفزون باشد.

جُستن
یافتن
و آن گاه
به اِختیار برگُزیدن
و از خویشتنِ خویش
بارویی پِی اَفکندن....

اگر مرگ را از این همه اَرزِشی بیش تر باشد
حاشا حاشا که هرگز از مرگ هَراسیده باشم.

« احمد شاملو »

Vocabulary

not to be scared	نهراسیده ام (نهراسیدن)
vulgarity	ابتذال
breakable	شکننده تر
fear	هراس
anyhow, anyway	باری
land	سرزمین
wage, pay	مزد
grave-digger	گورکن
freedom	آزادی
human being	آدمی
more than	افزون
to search	جستن
to find	یافتن
to choose freely	به اختیار برگزیدن
one's own being	خویشتنِ خویش
rampart, fortified wall	بارو
to lay the foundation of, to build	پی افکندن
worth, value	ارزش
God forbid!	حاشا

سرِ قایِقَش

بر سرِ قایِقَش اَندیشه کُنان قایِق بان
دائِماً می زند از رَنجِ سفر بر سرِ دریا فریاد:
« اگرم کِشمکشِ موجِ سوی ساحِل راهی می داد.»

*

سَخت طوفان زَده روی دریاست
ناشَکیباست به دل قایَق بان
شب پُر از حادِثه، دِهشَت اَفزاست.

*

بر سرِ ساحِل هم لیکن اَندیشه کُنان قایِق بان
ناشَکیباتر بر می شود از او فریاد:
« کاش بازَم رَه بر خِطّه ی دریای گِران می افتاد! »

«نیما یوشیج»

Vocabulary

boat	قایق
pondering, thinking	اندیشه کنان
boatman	قایق بان
constantly	دائماً
pain and suffering	رنج
long trip	سفر
struggle, wrestle	کشمکش
wave	موج
coast, shore	ساحل
to give someone the right of way	راهی می داد (راه دادن)
intensely	سخت
stormy	طوفان زده
impatient	ناشکیبا
accident, incident	حادثه
terrifying	دهشت افزا
but	لیکن
to rise	بر می شود (بر شدن)
[I] wished	کاش
again ... I,	بازم (باز من را)
way, path	ره (راه)

territory	خطّه
grand	گران

Brief Biographies
(in Alphabetical Order)

Mehdi Akhavan Sales
1929 – 1990

Mehdi Akhavan Sales was born in Mashhad. His second book of poetry entitled "Winter" earned him national recognition and placed him among the most successful followers of Nima Youshij's "free verse" style of poetry. He passed away in 1990 in Tehran and is buried in Tous, near Ferdowsi's grave.

Some of his poetry books include:

- *Organ*
- *Winter*
- *The Ending of Shahnameh*
- *From This Avesta*
- *Hunt*
- *Autumn in Prison*
- *Hell, But Cold*
- *Life Says: But Still One Must Live, Live, Live*
- *Oh, My Ancient Land! I Love You*

Houshang Ebtehaj
1928 -

Houshang Ebtehaj was born in Rasht. He published his first book of poetry at the age of 19. He has written poems in both the classical form and Nima Youshij's "free verse" style of poetry. The subjects of his poems are mostly social and political issues.

Some of his poetry books include:

- *The First Songs*
- *Mirage*
- *Foredawn*
- *Bleak Travails*
- *Earth*
- *Until the Dawn of the Longest Night*
- *Memorial to the Cedar's Blood*
- *Dispirited*

Jaleh Esfahani
1921 - 2007

Jaleh Esfahani was born in Esfahan. She moved to the former Soviet Union in 1946 when she was young; and obtained her PhD in Persian Literature from Moscow University. She published her first collection of poems entitled "Wild Flowers" at the age of 23. The love of her homeland was the dominant subject of her poetry. She returned to Iran in 1980 just to leave again two years later for England where she settled until the end of her life. She passed away in 2007.

Some of her works include:

- *Wild Flowers*
- *Zayandeh Rood*
- *The Blue Ship*
- *The Image of the World*
- *The Invincible Alborz*
- *Oh, the Favorable Wind!*
- *If I had a Thousand Pens*

Forough Farrokhzad
1935- 1967

Forough Farrokhzad was born in Tehran. She attended the school of fine arts, but later dropped out to focus on her poetry. Her poems contain a strong feminine voice which was considered very controversial at the time. She also made a documentary film called "The House is Black" which featured Iranians affected by leprosy. The documentary won several international awards. She died in a car accident in 1967 in Tehran.

Her poetry books include:

- *The Captive*
- *The Wall*
- *The Rebellion*
- *Another Birth*
- *Let Us Believe in the Beginning of the Cold Season*

Siavash Kasrai
1927 – 1996

Siavash Kasrai was born in Esfahan. He graduated from Tehran University with a degree in Political Science. His second book "Arash, the Archer" an epic poem of more than 300 lines was an immediate success. He is one of the most recognized poets of his generation. He spent the last 20 years of his life in Afghanistan, Russia and later in Australia where he passed away in 1996.

Some of his works include:

- *Voice*
- *Arash, the Archer*
- *Siavash's Blood*
- *With the Silent Damavand*
- *Stone and Dew*
- *After Winter in Our Village*
- *With the Redness of Fire, With the Taste of Smoke*
- *America, America*
- *A Present For the Soil*
- *The Stars of Dawn*
- *The Red Bead*

Mahmud Kianush
1934 -

Mahmud Kianush was born in Mashhad. He graduated from Tehran University with a degree in English Language and Literature. He began publishing his poems at the age of 16. He was the editor-in-chief of two major Persian literary magazines in Tehran. He has published several collections of short stories and novels; translated multiple books of translations and written numerous children's poems. The latter has earned him the title of "The Father of Children's Poetry" in Iran. He has been living in England since 1976.

Some of his books include:

- *Simple and Sorrowful*
- *Bloom of Astonishment*
- *Moon and Fish in the Wind's Fountain*
- *The Exhausted Waters*
- *I Am the People*
- *Through the Window of Taj Mahal*
- *Where is that Voice?*

Meimanat Mirsadeghi Zolghadr
1937-

Meimanat Mirsadeghi Zolghadr was born in Estahban, in Fars Province. She graduated from Tehran University with a degree in Persian Language and Literature. Nature and life are often the subjects of her poetry. She sees the world from the point of view of a mother who wishes her children to get along and live next to each other in peace. She also has written several poetry books for children and has rewritten Ferdowsi's Shahnameh in prose.

Some of her books include:

- *Wakefulness of the Streams*
- *With Waters and Mirrors*
- *Sunny Souls*
- *Under the Calmest Snow in the World*
- *Cooperation (Children's Poetry)*
- *The Garden of Apple and Pears (Children's Poetry)*
- *Rain (Children's Poetry)*
- *Nana Falls Asleep Again!*
- *Stories of Shahnameh*
- *Once Upon a Time (Seven Persian Folktales)*

Fereydoun Moshiri
1927- 2000

Fereydoun Moshiri was born in Tehran. Although he adopted Nima Youshij's "free verse" style of poetry, he did not completely abandon the classical forms. The main topics of his poetry are hope, love, kindness and nature. He passed away in 2000 in Tehran.

Some of his works include:

- *Thirsty for Tempest*
- *The Sin of the Sea*
- *The Unfound*
- *The Cloud*
- *Cloud and the Alley*
- *Believe in Spring*
- *Flying With the Sun*
- *Of Silence*
- *Oh, Rain!*
- *From the Land of Reconciliation*

Sohrab Sepehri
1928 - 1980

Sohrab Sepehri was born in Kashan. He graduated from Tehran University with a degree in Fine Arts. He spent several years of his life in India and Japan. Buddhism influenced his poetry in a distinguished way which set his poetry apart from the mystical work of other poets of his generation. He is also well-known for his paintings. He passed away in Tehran in 1980.

Some of his works include:

- *The Death of Color*
- *The Life of Dreams*
- *Downpour of Sunshine*
- *East of Sorrow*
- *The Footsteps of Water*
- *Traveler*
- *The Green Space*

Mohammad Reza Shafi'i Kadkani
1939-

Mohammad Reza Shafi'i Kadkani was born in Kadkan, in Khorasan Province. He received his PhD from Tehran University in Persian Literature. His intensive work on the history of classical Persian literature is embedded in his poetry with a clear effect on the language of his poems.

Some of his works include:

- *The Murmurs*
- *In the Language of the Leaves*
- *In the Garden-paths of Neishabour*
- *Like a Tree in Rainy Night*
- *The Sweet Smell of Moulian River*
- *Being and Singing*
- *A Line of Nostalgia*
- *Ghazal for the Sunflower*
- *The Comet*
- *In Praise of Doves*

Ahmad Shamlou
1925- 2000

Ahmad Shamlou was born in Tehran. He cut his ties with the classical forms of Persian poetry early on. Although, he followed Nima Youshij's "free verse" style, he eventually invented his own style of "Prose-Poetry". Many consider him the most influential poet of his time. He also translated poetry and fiction from French to Persian, and collected Persian folk ballads and tales. He passed away in 2000 in Tehran.

Some of his works include:

- *The Forgotten Songs*
- *The Verdict*
- *Poems of Iron and Feelings*
- *Fresh Air*
- *The Garden of Mirror*
- *Ayda in the Mirror*

- *Moments and Forever*
- *Ayda: Tree, Dagger and Memory*
- *Phoenix in the Rain*
- *Elegies of the Earth*
- *Blossoming in the Mist*
- *Abraham in the midst of Fire*
- *Of Airs and Mirrors*
- *Poniard on the Plate*
- *Little Rhapsodizes of Exile*

Nima Youshij
1895- 1959

Nima Youshij (Ali Esfandyari) was born in Yoush, in Mazandaran Province. He graduated from St. Louis, a French school in Tehran which gave him early exposure to the Western literature. His views and ideas about the forms of poetry were new and innovative, and caused a revolution in classical Persian poetry. This earned him the title of "The Father of Modern Persian Poetry". The language of his poems, under the influence of his mother dialect of Tabari, often comes across as odd and unusual. Nature has a big role in his writing but is usually used to imply wider and deeper meanings. His creation of the "free verse" style was followed by many young poets who adopted his poetic innovations and added more of their own. Most of his poems were published after his death. He passed away in Tehran in 1959.

Some of his works include:

- *Fable*
- *Makhula*
- *My Poetry*
- *The City of Night, The City of Morning*
- *Scribbling*
- *Other Cries and the Spider of Color*
- *Water in the Ant's Nest*
- *Maneli and Saravili's House*

Mohammad Zohari
1925- 1995

Mohammad Zohari was born in Shahsavar. He received his PhD in Persian Literature from Tehran University. He began his writing career by writing short stories when he was a teenager. He was one of the first poets of his generation to adopt Nima Youshij's "free verse" style of poetry. He lived part of his life in Paris in exile, and returned to Iran in 1992 where he passed away in 1995.

Some of his works include:

- *The Island*
- *The Complaint*
- *And the Rest*
- *Fist in the Pocket*
- *Thus Said Our Master*

Similar Books:

Once Upon a Time
(Seven Persian Folktales)
Persian/Farsi Edition

Meimanat Mirsadeghi (Zolghadr)

<<<<<<<<<<<<<<<<<<<<<<<<<<<<<

Stories of Shahnameh
Vol. 1- 3
Persian/Farsi Edition

Meimanat Mirsadeghi (Zolghadr)

How to Write in Persian
(A Workbook for Learning The Persian Script)

Nazanin Mirsadeghi

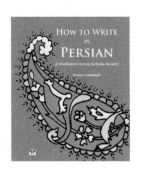

<<<<<<<<<<<<<<<<<<<<<<<<<<<<<

100
Persian Verbs
(Fully Conjugated in the Most Common Tenses)

Nazanin Mirsadeghi

<<<<<<<<<<<<<<<<<<<<<<<<<<<<<

1000 +
Most Useful
Persian Words

Nazanin Mirsadeghi

100
Irregular
Persian Verbs
(Fully Conjugated in the Most Common Tenses)

Nazanin Mirsadeghi

<<<<<<<<<<<<<<<<<<<<<<<<<<<<

Easy Persian Reader
(Beginner to Low Intermediate Level)

Nazanin Mirsadeghi

<<<<<<<<<<<<<<<<<<<<<<<<<<<<

500 +
Persian Phrases
(Daily Conversations for Better Communication)

Nazanin Mirsadeghi

Essentials of
Persian Grammar
(Concepts and Exercises)

Nazanin Mirsadeghi

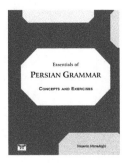

Laugh and Learn
Persian Idioms

Nazanin Mirsadeghi

700+
Most Useful
Persian Adjectives & Adverbs

Nazanin Mirsadeghi

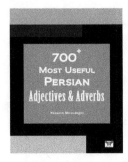

To Learn More, Please Visit Bahar Books Website:

Bahar Books

www.baharbooks.com